中国工程建设协会标准

滑动测微测试规程

Specification for test of sliding micrometer

CECS 369：2014

主编单位：机械工业勘察设计研究院
批准单位：中国工程建设标准化协会
施行日期：2014年7月1日

中国计划出版社

2014 北 京

中国工程建设协会标准
滑动测微测试规程
CECS 369：2014

☆

中国计划出版社出版
网址：www.jhpress.com
地址：北京市西城区木樨地北里甲 11 号国宏大厦 C 座 3 层
邮政编码：100038　电话：(010)63906433(发行部)
新华书店北京发行所发行
廊坊市海涛印刷有限公司印刷

850mm×1168mm　1/32　1.375 印张　32 千字
2014 年 4 月第 1 版　2014 年 4 月第 1 次印刷
印数 1—3080 册

☆

统一书号：1580242·302
定价：15.00 元

版权所有　侵权必究
侵权举报电话：(010)63906404
如有印装质量问题，请寄本社出版部调换

中国工程建设标准化协会公告

第 165 号

关于发布《滑动测微测试规程》的公告

根据中国工程建设标准化协会《关于印发〈2009年工程建设协会标准制订、修订计划(第一批)〉的通知》(建标协字〔2009〕55号)的要求,由机械工业勘察设计研究院等单位编制的《滑动测微测试规程》,经本协会建筑振动专业委员会组织审查,现批准发布,编号为CECS 369:2014,自2014年7月1日起施行。

中国工程建设标准化协会
二〇一四年三月二十日

前　言

根据中国工程建设标准化协会《关于印发〈2009年工程建设协会标准制订、修订计划（第一批）〉的通知》（建标协字〔2009〕55号）的要求，制定本规程。

本规程的主要内容包括：总则、术语和符号、仪器设备、测管安装、现场测试和资料整理。

本规程由中国工程建设标准化协会建筑振动专业委员会归口管理，由机械工业勘察设计研究院（地址：西安市新城区咸宁中路51号，邮政编码：710043）负责解释。在使用中如发现需要修改和补充之处，请将意见和资料径寄解释单位。

主编单位： 机械工业勘察设计研究院

参编单位： 中国科学院武汉岩土力学研究所
　　　　　　　四川大学
　　　　　　　华北电力设计院工程有限公司
　　　　　　　长安大学
　　　　　　　广州岩泰高新技术工程顾问有限公司
　　　　　　　中国水电顾问集团昆明勘测设计研究院

主要起草人： 郑建国　刘争宏　李光煜　王　浩　邓建辉
　　　　　　　湛　川　魏进兵　刘保健　陈　东　董泽荣

主要审查人： 刘厚健　张同亿　李　宁　朱武卫　王铁行
　　　　　　　南亚林　彭　剑

目　　次

1　总　　则 …………………………………………（ 1 ）
2　术语和符号 ………………………………………（ 2 ）
　2.1　术语 ……………………………………………（ 2 ）
　2.2　符号 ……………………………………………（ 2 ）
3　仪器设备 …………………………………………（ 4 ）
　3.1　一般规定 ………………………………………（ 4 ）
　3.2　测标和套管 ……………………………………（ 5 ）
　3.3　测试探头 ………………………………………（ 5 ）
　3.4　其他组件 ………………………………………（ 6 ）
　3.5　维护保养 ………………………………………（ 6 ）
4　测管安装 …………………………………………（ 7 ）
　4.1　一般规定 ………………………………………（ 7 ）
　4.2　基桩内力测试测管安装 ………………………（ 7 ）
　4.3　岩体变形测试测管安装 ………………………（ 9 ）
5　现场测试 …………………………………………（11）
6　资料整理 …………………………………………（13）
附录 A　仪器标定 …………………………………（14）
附录 B　滑动测微测试记录表 ……………………（16）
本规程用词说明 ……………………………………（17）
引用标准名录 ………………………………………（18）
附：条文说明 ………………………………………（19）

Contents

1 General provisions ···································· (1)
2 Terms and symbols ·································· (2)
  2.1 Terms ··· (2)
  2.2 Symbols ··· (2)
3 Apparatus ·· (4)
  3.1 General requirements ···························· (4)
  3.2 Measuring mark and casing ······················ (5)
  3.3 Test probe ·· (5)
  3.4 Other components ······························· (6)
  3.5 Maintenance ······································ (6)
4 Installation of measuring pipe ······················ (7)
  4.1 General requirements ···························· (7)
  4.2 Installation of measuring pipes for pile internal force test ·· (7)
  4.3 Installation of measuring pipes for rock mass deformation test ·· (9)
5 Field test ··· (11)
6 Data compilation ···································· (13)
Appendix A Calibration of instrument ··············· (14)
Appendix B Test recording table of sliding micrometer ································ (16)
Explanation of wording in this specification ········· (17)
List of quoted standards ······························ (18)
Addition: Explanation of provisions ··················· (19)

1 总　　则

1.0.1 为统一滑动测微计和滑动变形计测试和资料分析方法,做到技术先进、安全可靠、经济合理、使用方便,制定本规程。

1.0.2 本规程适用于用滑动测微计和滑动变形计测试基桩和岩体的应变和变形。

1.0.3 采用滑动测微计和滑动变形计测试时,除应符合本规程外,尚应符合国家现行有关标准的规定。

2 术语和符号

2.1 术　　语

2.1.1 滑动测微计　sliding micrometer

基于线法监测原理设计，能在测管内滑动，利用球面-锥面接触定位原理连续地测定相邻两点之间的距离，系统测试精度达到 10^{-3} mm 的长度测试仪器。

2.1.2 滑动变形计　sliding deformeter

基于线法监测原理设计，能在测管内滑动，利用球面-锥面接触定位原理连续地测定相邻两点之间的距离，系统测试精度达到 10^{-2} mm 的长度测试仪器。

2.1.3 测标　measuring mark

由锥形环和外壳组成的量测标志。

2.1.4 套管　casing

带有密封环和定位槽，用于保护和固定测标的薄壁管。

2.1.5 测管　measuring pipe

套管和测标连接在一起后埋设在被测体中的管状物。

2.1.6 测试单元　testing element

测管内两相邻测标和套管构成的空间。

2.2 符　　号

e——仪器标定时读数；

K——仪器标定系数；

l——测试探头标距；

Δl——变形；

z_0——仪器零点读数；
δ——测试时仪器读数；
ε——应变。

3 仪器设备

3.1 一般规定

3.1.1 滑动测微测试系统应包括测试探头、导向链、测量电缆、套管和测标、数据采集仪、操作杆等部件(图3.1.1)和标定筒。

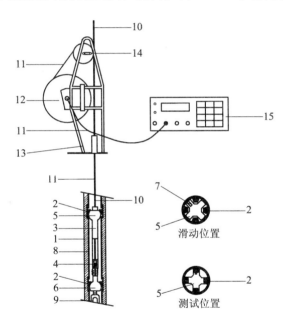

图3.1.1 滑动测微计测试系统和原理

1—被测体;2—测标;3—测试探头;4—线性位移传感器;5—上球形头;
6—下球形头;7—探头方向槽;8—套管;9—导向链;10—操作杆;11—测量电缆;
12—绞缆盘;13—电缆绞车;14—绞车操作手柄/制动;15—数据采集仪

3.1.2 测试系统使用时的环境温度应在产品允许的正常工作温度范围内。

3.2 测标和套管

3.2.1 测标锥形环应有足够刚度,且不易与空气、水和被测试体等环境介质发生化学反应。

3.2.2 测标锥形环锥面的加工精度应优于IT7级,椭圆度不应大于0.001mm。

3.2.3 测标外壳与锥形环的结合应牢固,外表面宜有凹凸。

3.2.4 套管的材质和构造应利于测标随被测体一起发生位移。

3.2.5 在埋入被测试体内后测标外壳和套管材料自身不应产生杂质污染测标。

3.3 测试探头

3.3.1 滑动测微计和滑动变形计探头的主要性能指标应满足表3.3.1的要求。

表3.3.1 滑动测微探头主要性能指标

探头种类		滑动测微计	滑动变形计
标距(mm)		1000	
温度分辨率(℃)		0.1	
承受水压能力(MPa)		1.5	
沿测线方向	最小测量范围(mm)	995.0～1005.0	977.5～1022.5
	分辨率(mm)	0.001	0.01
	精度(mm)	±0.003	±0.03
	线性度	<0.02%FS	<0.2%FS
	温度影响	<0.01%FS/℃	<0.02%FS/℃

注:FS为量程。

3.3.2 测试前后探头应在标定筒中进行标定获得零点位置和标定系数值,标定方法应按附录A执行。

3.4 其他组件

3.4.1 标定筒应由铟钢制成，其锥形环可采用硬化不锈钢制成。标定筒在使用后应及时将筒两端封堵。

3.4.2 数据采集仪应和测试探头性能指标匹配，连续正常工作时间应大于4h。

3.4.3 测量电缆应为加强电缆，无破损，长度应满足测深要求。

3.4.4 操作杆的材质宜轻且应耐腐蚀，单节长度宜为2m；连接后进行测试时，应可顺利转动和上下滑动测试探头。

3.4.5 测量电缆和操作杆，应有满足测试要求的抗拉能力。

3.5 维护保养

3.5.1 测试探头的维护保养应满足下列要求：

    1 探头不宜受到垂直于轴线方向不均匀力的作用；

    2 现场测试完成后，应将其擦拭干净，待其干燥后再放入探头箱，平放于干燥阴凉处；

    3 探头伸缩部位和与测量电缆的连接部位应定期进行检查、清洗和润滑；

    4 闲置时宜定期标定。

3.5.2 数据采集仪在闲置时，应放置于干燥阴凉处，每季度宜充电一次。

3.5.3 导向链在现场测试完成后，应将其擦拭干净，定期对其转动部位进行清洗和润滑。

4 测管安装

4.1 一般规定

4.1.1 测管安装前应对套管和测标逐一检查，对异常的套管和测标应放弃使用，对内侧有污垢和灰尘的套管和测标应擦拭干净。

4.1.2 测管在埋入被测试体前宜进行预连接，预连接长度视埋设时空间大小决定，且不宜超过 3m，进行预连接的场地应平整，保持清洁。

4.1.3 测标宜按 1m 等间距排列。

4.1.4 测管连接应符合下列规定：

    1 测标排列的方向和顺序应统一；

    2 套管进入测标的方向和长度应能使套管和测标上的螺丝孔对齐；

    3 固定套管和测标的螺丝应拧紧，但不得使测标外壳破裂；

    4 套管与测标连接处的防水措施应可靠。

4.1.5 测管不应长时间遭受阳光暴晒。

4.1.6 连接完毕并放入被测体中的测管，露出被测体的一端应有顶盖保护，在被测体中的一端应封堵；测管安装开始至测试工作完成期间严禁有杂物进入测管。

4.1.7 安装过程中测管内发现有漏浆现象时，应及时采用高压清水将测管内侧清洗干净。

4.1.8 测管安装完成后应推算各测标所处位置，做好安装记录。

4.2 基桩内力测试测管安装

4.2.1 本节适用于混凝土钻（挖）孔灌注桩、预制混凝土桩和钢管桩的静载荷试验内力测试和竖向位移测试的测管安装。

4.2.2 测管应对称均匀布置,对灌注桩测管的埋设数量不宜少于2根,对桩截面尺寸较小的预制桩,可埋设1根测管,此时测管宜布置在桩几何中轴线附近。

4.2.3 混凝土钻(挖)孔灌注桩的测管安装应符合下列规定:

1 测试桩成孔后,应进行成孔质量检测,获得桩径随深度变化数据。

2 测试桩应通长配筋,加劲箍应焊接在主筋外侧,钢筋笼应有足够刚度。

3 测管应沿直线绑扎在钢筋笼主筋内侧,同钢筋笼一起放入桩孔内,过程中应向测管内注入清水,保持测管中水头高于桩孔中液面高度;钢筋笼若发生扭转应及时校正。

4 浇筑混凝土的导料管,与钢筋笼之间应有一定间距,在下放和提升过程中应缓慢,避免碰撞测管。

5 桩头处理时,应避免敲打、碰撞、挤压测管;测管顶端应高于桩头顶面。

4.2.4 混凝土管桩的测管安装应符合下列规定:

1 测试桩为多节桩时,接头处应有可靠防水措施。

2 测管应在沉桩后安装在中心孔内。测管放置过程中,应有防止套管与测标连接处被拉脱的措施,测管外侧应每隔2m~3m放置一个定位装置,放置完成后宜使用测试探头或模型探头检查测管是否连接正确。

3 测管与桩壁之间的空隙应填充,填充材料可采用水、水泥和膨润土的混合物,养护后的弹性模量应等于或略大于套管的综合弹性模量。

4 填充材料应搅拌均匀,滤除粗团块;灌注过程中严禁长时间停顿,填充材料凝固收缩使桩顶附近产生空隙时应及时采用相同配比填充材料补灌。

4.2.5 非高温养护实体混凝土预制桩的测管安装应符合下列规定:

1 测试桩边长(或直径)应大于300mm；

2 测管宜根据桩的对接顺序和方向预制在桩体内,多节桩接头处不应有测标；

3 多节桩沉桩施工对接时,应检查桩的顺序和方向,接头处应有可靠防水措施。

4.2.6 钢管桩的测管安装应符合下列规定：

1 测试桩直径应大于600mm。

2 采用将测管浇筑到中心孔中的方式安装测管时,宜预先在管桩内壁焊接薄壁钢管,沉桩后将测管浇筑在薄壁钢管与桩壁之间的孔洞中,浇筑用填充材料应满足本规程第4.2.4条的要求。薄壁钢管与桩壁之间的孔洞底部应闭口。

3 采用将测标焊接在桩内壁的方式安装测管时,测标外壳应牢靠连接有焊接辅助件,通过焊接桩壁与辅助件牢靠固定测标。

4.3 岩体变形测试测管安装

4.3.1 本节适用于基本质量级别为Ⅰ～Ⅲ级岩体变形监测的测管安装。岩体基本质量分级应按现行国家标准《工程岩体分级标准》GB 50218 的有关规定执行。

4.3.2 测管安装应先在岩石中钻孔,放入测管后,采用注浆材料将测管浇筑在岩体中。

4.3.3 用于安装测管的钻孔应满足下列要求：

1 钻孔孔径应在110mm～130mm之间；

2 钻孔深度应大于监测深度1m～2m；

3 钻孔轴线每100m累计偏斜度不宜超过1°。

4.3.4 测管放置应符合下列规定：

1 应按次序连接测管并送入钻孔中,送进时应平稳用力,严禁转动测管；

2 从上向下放置测管时,应采取防止测管拉脱的措施；

3 测管全部送入钻孔后,宜采用测试探头或模型探头试测,检验测管安装的正确性。

4.3.5 测管固定应符合下列规定：

1 宜采用流动性好，养护后力学参数和岩体相近的注浆材料（填充材料）将测管浇筑在岩体当中。

2 在仰角钻孔中放置测管时，应先封闭孔口后再进行测管浇筑，浇筑用注浆管应满足下列要求：

 1）宜采用直径 2cm 左右的耐高压厚壁塑料管作为灌浆管；

 2）应采用 2 根注浆管分别作为进浆管和排气出浆管，进浆管深入钻孔长度宜小于 1m；排气出浆管深入钻孔长度应大于测管安装深度 0.5m。

3 注浆浆液应搅拌均匀，滤除其中粗团块，灌浆一经开始，中途严禁长时间停顿。

4 应目视排出的浆液与搅拌的浆液一致后停止注浆；设置有排气出浆管时，宜封堵排气出浆管，加压补灌部分浆液。

5 浆液凝固产生空洞时应补灌。

5 现场测试

5.0.1 被测体养护和休止期应符合国家现行有关标准的规定。

5.0.2 采用填充材料将测管浇筑在被测体中时,填充材料的养护时间宜通过测试填充材料凝固体的力学性能指标确定。

5.0.3 测试前应检查并保证测试探头各密封圈完整无破损,各测试组件连接正确;测试探头应放入测管内均衡探头与测管的温度,同时应将测试系统开机预热,时间不宜少于 20min。

5.0.4 每次测试前后应将导向链、测试探头、操作杆和测量电缆擦拭干净。

5.0.5 各测试单元应按顺序编号。每次测试对同一个测试单元的测次不宜少于 2 次,不同测次以及不同测试单元测试时的探头温度应基本一致。

5.0.6 每测次重复测试不宜少于 3 次,测试数据间最大值与最小值之差对滑动测微计不大于 0.003mm,对滑动变形计不大于 0.03mm 时,宜取中间值作为测次测值。

5.0.7 下列情况之一时,应反复转动调整探头位置重新测量,若测试效果仍无改善,应分析原因,经处理后重新测量:

    1 连续多次测试,数据不稳定;

    2 与其他测次相比,测试数据不合理。

5.0.8 每次测试完毕后应将测管孔口封闭。测试过程中若发现测孔内杂质较多时应用高压清水进行冲洗。

5.0.9 现场测试结果可按附录 B 格式记录,应包括下列内容:

    1 工作内容、起止时间、人员、仪器状态;

    2 各次测试所对应的工况和可能对测试数据产生影响的环境情况;

3 各测试单元的长度测值和测试时的探头温度;
4 测试异常情况和解决办法等。

6 资料整理

6.0.1 测试资料的整理应在每次测试完成后及时进行,并结合测试工况、施工进度、地质和环境条件等综合分析。

6.0.2 宜将同一测试单元多测次测值的算术平均值作为该次测试的实测值。

6.0.3 测试单元的变形和平均应变应按下列公式计算：

$$\Delta l_i = (\delta_1 - z_{01})K_1 - (\delta_i - z_{0i})K_i \quad (6.0.3\text{-}1)$$

$$\varepsilon_i = \frac{\Delta l_i}{l - (\delta_1 - z_{01})K_1} \quad (6.0.3\text{-}2)$$

式中：δ_1——第一次测试获得的读数(初始读数)；

z_{01}——第一次测试前后仪器标定获得的仪器零点读数；

K_1——第一次测试前后仪器标定获得的标定系数(mm/读数值)；

δ_i——第 i 次测试获得的读数；

z_{0i}——第 i 次测试前后仪器标定获得的仪器零点读数；

K_i——第 i 次测试前后仪器标定获得的标定系数(mm/读数值)；

Δl_i——测试单元第 i 次测试相对于第一次测试发生的变形，负值表示压缩，正值表示拉伸(mm)；

l——测试探头标距，即测试读数正好等于仪器零点时探头上下球形头间的距离(mm)；

ε_i——测试单元第 i 次测试相对于第一次测试的平均应变，负值表示压应变，正值表示拉应变。

6.0.4 测试成果曲线可包括变形、应变和位移随测试深度的变化曲线，以及典型测试单元或位置的变形、应变、位移随时间或工况变化曲线。

6.0.5 测试成果的表现形式，可根据测试目的决定。

附录A 仪器标定

A.0.1 标定筒应通过有资质单位的技术鉴定或检定,并在检定或校准有效期内使用。

A.0.2 标定前准备工作应符合下列规定:

1 标定应在温度恒定,无扬尘的环境中进行。标定场所的环境温度宜和现场测管内温度接近。

2 应将标定筒平放在平整的桌面上,记录标定筒 E1 和 E2 位置测标距离的差值 Δe(图 A.0.2)。

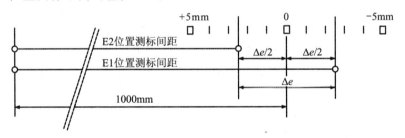

图 A.0.2 标定原理示意图

3 应连接相关组件并开机预热 20min。

A.0.3 标定步骤应符合下列规定:

1 应将探头放置在标定装置的 E1 位置重复测试,获得测试数据应不少于 3 个,数据间极差应小于 3,将其算术平均得标定值 e_1;

2 应在 E2 位置按本条第 1 款要求操作,获得标定值 e_2;

3 仪器零点 z_0 应按下式计算:

$$z_0 = \frac{e_1 + e_2}{2} \qquad (A.0.3\text{-}1)$$

式中:e_1——在标定筒 E1 位置得到的标定值;

e_2——在标定筒 E2 位置得到的标定值。

4 标定系数 K 应按下式计算：

$$K = \frac{\Delta e}{e_2 - e_1} \quad \text{(A.0.3-2)}$$

式中：Δe——标定筒 E2 和 E1 位置测标距离之差(mm)。

A.0.4 应将每次测试前后标定确定的仪器零点和标定系数平均值作为本次测试的仪器零点和标定系数。

附录B 滑动测微测试记录表

表B 滑动测微测试记录表

第 页 共 页

工程名称：		测试时间：	
测管编号：		测试工况：	
其他信息：			

测试单元编号	进程		回程	
	测值	温度(℃)	测值	温度(℃)

备注：

测试：　　　　　记录：　　　　　审核：

本规程用词说明

1 为便于在执行本规程条文时区别对待,对要求严格程度不同的用词说明如下:

1) 表示很严格,非这样做不可的:
   正面词采用"必须",反面词采用"严禁";
2) 表示严格,在正常情况下均应这样做的:
   正面词采用"应",反面词采用"不应"或"不得";
3) 表示允许稍有选择,在条件许可时首先应这样做的:
   正面词采用"宜",反面词采用"不宜";
4) 表示有选择,在一定条件下可以这样做的,采用"可"。

2 条文中指明应按其他有关标准执行的写法为:"应符合……的规定"或"应按……执行"。

引用标准名录

《工程岩体分级标准》GB 50218

中国工程建设协会标准

滑动测微测试规程

CECS 369：2014

条文说明

制 订 说 明

《滑动测微测试规程》CECS 369：2014，经中国工程建设标准化协会 2014 年 3 月 20 日以第 165 号公告批准发布。

为便于广大设计、测试、监测、科研等单位有关人员在使用本规程时能正确理解和执行条文规定，《滑动测微测试规程》编制组按章、节、条顺序编制了本规程的条文说明，对条文规定的目的、依据以及执行中需注意的有关事项进行了说明。但是，本条文说明不具备与标准正文同等的法律效力，仅供使用者作为理解和把握标准规定的参考。

目 次

1 总　　则 …………………………………………………（25）
2 术语和符号 ………………………………………………（26）
3 仪器设备 …………………………………………………（27）
　3.1 一般规定 ……………………………………………（27）
　3.2 测标和套管 …………………………………………（27）
　3.3 测试探头 ……………………………………………（27）
　3.4 其他组件 ……………………………………………（28）
　3.5 维护保养 ……………………………………………（28）
4 测管安装 …………………………………………………（30）
　4.1 一般规定 ……………………………………………（30）
　4.2 基桩内力测试测管安装 ……………………………（31）
　4.3 岩体变形测试测管安装 ……………………………（34）
5 现场测试 …………………………………………………（35）
6 资料整理 …………………………………………………（36）

1 总　　则

1.0.1 滑动测微计（Sliding Micrometer）是基于线法监测原理和球面-锥面精准定位原理，研制出的一种便携式长度测试仪器，具有高精度（微米量级）、高可靠性、大信息量等优点。该仪器最早由瑞士研制和生产，20世纪80年代引入中国，在国内桩基、隧道、地下硐室、边坡、大坝等工程的现场变形和应变测试中得到了成功应用。随着该技术的推广，从业人员增多但技术水平参差不齐，影响了该技术的总体测试效果。因此，总结以往工作中的成功经验，制定统一的操作规程，以提高运用滑动测微技术的水平，对促进岩土工程监测技术发展将起到积极作用。

与滑动测微计相比，滑动变形计（Sliding Deformeter）的精度低一个量级，但量程更大，两者在测试原理、操作技术、测管安装、数据分析等方面类同，本规程将其纳入。

三向位移计（TRIVEC）在滑动测微计基础上增加了两个测斜计，因此还可测定垂直于测线平面上的另两个相互垂直的相对位移量，但只限于垂直测孔。三向位移计测斜在国内应用案例还较少，有待进一步总结经验，本规程暂未将测斜的内容纳入。

1.0.2 对不同介质的应变和变形运用滑动测微技术进行测试，数据采集和分析方法类似，测管安装方法有所不同。本规程列出了基桩内力测试和岩体变形测试的测管安装方法，对大体积混凝土结构（如混凝土大坝坝体）的变形测试，其测管安装方法与之相似，可参考执行。滑动测微技术也适合于土体的变形测试，国外已有在土体中应用的案例，但国内还未见有运用报道，因此本规程暂未将其在土体中的应用纳入。与在混凝土和岩体中的应用相比，土体中测试时测管的构造和安装方法有所不同。

2 术语和符号

2.1.1、2.1.2 滑动测微计有别于以应变计为代表的点法监测仪器。后者是固定式的，只能测定元件埋设处的应变；前者是移动式的，可连续地测量相邻两点间(间距一般为 1000mm)的距离，当被测体发生变形时，也就可以获得连续的变形和应变测试结果；在已知测线上任意一点的位移后，也可以计算出测线上其他位置沿测线的位移，一套仪器可用于多个钻孔和多个工程。

目前市场上称为滑动测微计或滑动变形计的产品可分为两类，一类基于球面-锥面准确定位原理量测相邻两点间距离，另一类是基于电磁感应原理进行距离量测，本规程主要针对前者。

3 仪器设备

3.1 一般规定

3.1.1 最基本的滑动测微测试系统由测试探头、导向链、测量电缆、套管和测标、数据采集仪、操作杆以及标定筒等组成,此外还可有测温仪、电缆绞车等附属设备方便数据测试。

3.2 测标和套管

3.2.1~3.2.3 测标由锥形环和外壳组成,利用锥面-球面定位原理,锥形环的锥面和测试探头的球面接触时具有极好的重复性和极精准的位置关系,为高精度测试结果提供基础。因此锥形环的材质和加工精度极为关键,一般采用滑动测微计时锥形环由硬金属(如不锈钢、铜合金和硬铝等)制成;滑动变形计的锥形环也可采用硬塑料,并可同采用硬塑料的外壳一次成型。测标外壳的材质可为硬金属或硬塑料,其主要作用是固定测标锥形环,因此其外表面应凹凸以增加与周围介质的粘结力。

椭圆度为最大外径与最小内径之差。

3.2.4、3.2.5 套管的主要作用之一是保护测标免受周围杂质污染,一方面它应具有一定强度,以免在测管安装过程中受其他物体撞击发生损坏;另一方面也应控制其刚度,刚度过大时可能会阻碍测标与被测体的协同位移。此外,埋设后套管与测标外壳也不应与周围介质发生化学反应污染测标锥形环。

3.3 测试探头

3.3.2 滑动测微技术的一个重要特点是测试探头可随时标定,获得不同时间和环境条件下的零点位置和率定系数,从而可消除电测元件零点漂移的影响,是获得高精度测试结果的一个重要保障。因此标定工作特别重要,一般要求在长期监测工作中每次测试前后均需标定;同时标定也是了解测试系统工作状态的一个手段,可据此判定其是否异常。若标定时测试系统不能正常工作、读数不稳定(同一方向连续3次读数最大值与最小值之差对滑动测微计超过0.003mm,对滑动变形计超过0.03mm),表明采集仪或探头异常时,应送相关单位维修后使用。

3.4 其他组件

3.4.1 探头在标定筒中进行标定,因此要求标定筒的标距长度要保持稳定性,铟钢的低热膨胀系数可保证探头标定的准确性。标定筒在存放过程中应封堵防止杂物污染锥形环。

3.4.3～3.4.5 测试通过旋转操作杆控制测试探头处于滑动位置或测试位置,旋转过程中不应出现操作杆接头松动的情况。测试时一般通过回拉操作杆或测量电缆使探头和测标紧密接触,因此操作杆和电缆均需有强度要求,均应能承受测试探头、导向链、全部电缆和操作杆的重力,以及测试时回拉探头用力之和。

3.5 维护保养

3.5.1 测试探头是一种精密仪器,正确的维护保养是其获得高精度测试结果的基础,主要措施包括:

(1)探头为长度超过1m的细长杆状物,垂直于轴线方向上的长期不均匀受力可能使得探头产生挠曲变形,影响测试精度,人工挪动时宜使探头处于竖向状态。

(2)探头的测试环境中往往有水存在,每次使用后,应擦拭干净并待其干燥后才能放入仪器箱,以免水对电子元器件产生不利影响。

(3)定期用轻质机油对探头上的伸缩部位进行清洗和润滑。

(4)探头与测试电缆连接处的O形密封圈及球形头上的切槽

应定期检查并用凡士林润滑,涂抹凡士林有利于接头的连接和拆卸,同时对接头起到保护作用。

(5)定期对探头进行标定,检查仪器的性能和零点。

4 测管安装

4.1 一般规定

4.1.1 测管安装是滑动测微测试成败的关键，很小的细节问题都可能影响到测试效果，测管安装工作需要细心，多次检查。首先是对拟埋设的套管和测标逐一检查，对异常的套管和测标，如：锥形环变形（将使得探头与锥形环不能很好接触），锥形环与外壳连接不紧密，套管破裂（容易使锥形环受到污染，污染物影响探头与锥形环的接触，以及其在测试过程中的变形、脱落等均可影响测试效果）等，应放弃使用；套管和测标内侧有杂物时，要清理干净。

4.1.2 为缩短测管现场埋设的时间及减少埋设错误，一般需要对测管进行预连接：

（1）每根套管连接一个测标（最底部套管还需连接孔底封堵管）；

（2）在（1）的基础上继续连接，将测管连接至2m～3m。

预连接的长度还要视测管埋设时的空间大小，但不宜太长，太长则在搬运过程中易产生挠曲，即使是轻微的挠曲也会影响探头与锥形环的接触，以及测管防水性能。进行预连接的场地平整可方便预连接测管的集中摆放与检查，保持场地清洁可防止杂物进入测管。

4.1.4 测管安装过程中通常都有水的参与，若测管无可靠的防水措施，水中混杂的细颗粒容易随水渗入测管污染测环，其中套管与测标的连接处是最为薄弱的环节，应有可靠的防水措施。厂家提供的套管两端一般具有防水用的O形圈，但仅采取该措施，往往不能取得很好的防水效果。通常需要在连接套管与测标时，在套管与测标外壳的接触部位涂抹胶水，接缝外侧缠防水胶带等措施加强防水性能。需要特别注意的是,锥形环外侧不得有缠胶带等阻碍锥形环与被测体位移协调的介质,此外在套管外侧涂抹的胶水量不能太多,严禁在测标内壁涂胶水或凡士林,以免污染锥形环表面。

4.1.5 测管若长时间遭受阳光暴晒,会使得测管由于温度不均产生挠曲变形,应加以避免。

4.1.7 安装过程中测管内若有漏浆现象发生,势必会污染锥形环表面,不加处理会影响测试效果,因此应采取补救措施,在浆液凝固前采用高压清水冲洗补救比浆液凝固后再处理要容易。

4.2 基桩内力测试测管安装

4.2.1 滑动测微技术在我国桩身内力测试工作中应用得最多,各类常用桩型中均有成功应用,积累了较丰富的经验。其中对混凝土灌注桩,在单桩竖向抗压、抗拔和水平静载试验的内力测试中均有过成功应用;对预制混凝土桩和钢管桩主要是在单桩竖向抗压静载试验内力测试中有过成功运用,这两种桩型采用滑动测微技术进行单桩水平静载试验的内力测试还有待进一步研究和积累资料。

4.2.2 为减小竖向加载偏心的影响,一般应沿桩体对称布置多根测管,但对桩径相对较小的预制方桩或预应力管桩等,往往不具备安装多根测管的条件,或者虽能安装但会影响桩身强度,可只埋设1根测管,此时应将测管安装在桩几何中轴线附近,以减小加载偏心影响。此外载荷试验加载系统的布局也是决定测管布设位置和数量的重要方面。混凝土钻孔灌注桩的单桩水平静载试验,桩身弯矩和钢筋应力测试的测管也应沿受力方向对称布置在受拉和受压的主筋旁。

4.2.3 混凝土钻(挖)孔灌注桩内力测试的测管不宜少于2根,在混凝土浇筑前随钢筋笼一起进入桩孔中。桩较长时,钢筋笼在吊装及放入桩孔过程中有时容易产生较大的挠度和扭曲,此时宜适当加大试桩配筋率和主筋直径,以降低其不利影响。在混凝土浇筑过程中,为避免导料管碰撞测管,测管与导料管间应有足够的空隙,导料管最大直径宜比钢筋笼直径小 30cm 以上。此外,钢筋笼下放和混凝土浇筑期间是测管最容易受到污染的时期,除采取增加测管防水性能的措施外,也应运用水头差的原理,保持测管内的高水头,即使发生微弱渗透,桩孔中的细小颗粒也不容易进入测管当中。

内力测试通过实测应变计算桩身轴力时,需要准确的桩身截面积,因此在桩孔成孔后,应进行成孔质量检测,获得孔径随深度的变化数据。

4.2.4 混凝土管桩桩壁薄,将测管预制到桩壁中容易对桩身强度造成影响,对高温高压养护的 PHC 管桩,测管预制到桩壁中更是异常困难。但管桩的中心孔提供了放置测管的空间,可待管桩沉桩完成后将测管浇筑在中心孔中。其关键技术问题是要选择合适的填充材料对测管与桩壁间的空隙进行填充,填充材料要起到传递桩壁应变的作用,但另一方面,填充材料对桩壁的应变影响应尽量小,以减少对桩本身荷载传递性状的影响。理论分析及工程实践表明,采用一定配合比范围的水、水泥和膨润土混合物作为填充材料,当混合物凝固体的弹性模量略大于套管的综合弹性模量(同时小于桩壁材料的弹性模量)时可取得较好的测试结果,套管综合弹性模量指将套管等效为实心圆柱体的弹性模量。

测试桩为多节桩时,要求桩接头处应有可靠防水措施,一是为防止桩周土进入中心孔中,给测管浇筑带来不利影响;二是防止测管浇筑时,水泥浆进入桩周土中引起桩的荷载传递性状发生改变。

管桩中埋设测管的根数可根据中心孔的空间大小决定,为确保测管安装在设计位置,每隔 2m～3m 应设置固定装置一个,固定装置可采用 5mm～7mm 直径的钢筋制作,支撑于桩壁上控制测管的横向位置。

测管放入中心孔中的防拉脱措施,可为在桩中心孔中灌满清水,使测管受到向上浮力的作用,当浮力过大时,也可向测管内注入清水平衡浮力。

采用含膨润土水泥浆作为填充材料时,应先将水和膨润土搅拌均匀,然后放入水泥搅拌;混合物搅拌均匀后,过筛除去混合物中的粗团块,通过深入桩底的注浆管将混合物注入中心孔中,注浆压力以能将填充材料注入中心孔中的最小压力确定。注浆过程中若出现测管上浮现象,应采取措施固定测管顶部,直至水泥浆凝固。

实际工程中混凝土管桩包括开口和闭口两种,本条主要针对闭口管桩;对采用滑动测微技术进行开口管桩的内力测试,还有待研究和积累经验。

4.2.5 对测试桩边长的要求主要考虑到测管截面尺寸相对较大,测试桩截面积过小会影响桩身强度。

4.2.6 在钢管桩中安装测管的方法主要包括两种,均需要牵涉到焊接工作,只有内径大于600mm时,钢管桩才具备在中心孔中焊接操作的空间。

第一种安装方法是在中心孔中浇筑测管,首先将内径180mm～200mm的薄壁钢管沿轴线对称切开,将切开后的半根薄壁钢管焊接在桩内壁上,然后将测管放入并浇筑在薄壁钢管与桩壁之间的空隙中,如图1所示。

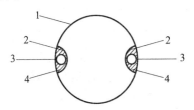

图1 钢管桩测管浇筑方法

1—钢管桩桩壁;2—薄壁钢管;3—测管;4—填充材料

第二种安装方法是将测标焊接在内侧桩壁上,采用该方法时,测标外壳一般采用不锈钢,预先在外壳上焊接角钢或其他辅助件,之后再在外壳内安装锥形环。通过焊接辅助件与桩壁使测标能与桩壁位移协调,焊接过程不能使锥形环发生变形。

4.3 岩体变形测试测管安装

4.3.1 滑动测微技术直接测试的是两测标之间的距离,要真实反应被测体的变形和应变,要求测标与被测试体协调位移,鉴于目前国内已使用的测管具有相对较大的强度和刚度,因此对其适用范围宜做一定的限定。国内以往采用滑动测微技术测试岩体的变形,主要在岩体基本质量级别为Ⅰ级~Ⅲ级的岩体中进行,并考虑到Ⅳ级、Ⅴ级岩体较为破碎或刚度较低,有可能不满足测标与岩体协调位移的条件,据此对适用范围进行了限定。

4.3.3 良好的钻孔施工质量是高质量安装测管和获得准确测试数据的基础,钻孔的相对弯曲度越小,越能保证测标锥形环的共线,测试时探头和锥形环才能更好地接触。钻孔应选择同轴度好、刚性强的地质钻机,配壁厚6mm~8mm的粗径钻具,并加钻杆扶正器,钻机的安放应坚固稳定;钻进软弱夹层、硬脆碎或陡倾角地层时,应降低转速,减压钻进;钻孔完毕后应检查孔内是否残留岩芯,若有应取出;冲洗钻孔,清除孔内残留岩粉。岩芯可进行地质编录、拍照存档,并编制柱状图,可选择钻孔电视、成像等手段补充钻孔地质编录、岩芯宜保存,以助于对测试结果的解释。

4.3.4 测管送进时注意沿钻孔轴线方向平稳用力,严禁转动测管,以防测标错位,影响探头的出入,导致测点甚至整个测孔报废。

4.3.5 凝固后用力学参数和岩体相近的注浆材料浇筑测管,可实现对岩体的最小扰动。当无经验或该种材料难以配制时,也可采用水灰比为1:1~1:2(水泥为强度等级42.5R的硅酸盐水泥)的水泥浆进行浇筑,并可根据需要配以适当的早强剂和减水剂。该配比填充材料在养护7d天凝固体的弹性模量一般大于600MPa(目前常用测管的综合弹性模量),能较好地将岩体变形传递给测管。

5 现场测试

5.0.1 对基桩内力测试来说,桩身混凝土养护时间和承载力检测前的休止时间都有要求,应符合国家现行有关标准的规定。

5.0.2 对混凝土管桩的内力测试和岩体变形测试,本规程采取将测管浇筑在被测体中的方式安装测管,因而对填充材料有养护时间要求。填充材料配比不一致,填充材料的养护时间也不一致,宜通过测试填充凝固体的力学性能指标,待其力学性能指标满足测试要求再进行测试。

5.0.3 本规程所述的被测体,大都处于地下,测管内温度较为恒定,也往往与大气温度有较大差别。温度对测试结果有较明显影响,测试前应将探头放入测管内,使探头温度与测管内温度一致,消除温差的影响。

5.0.6 多次重复测试的平均值作为测次的测值最为合理,但需要通过计算获得,不方便现场记录,考虑到读数稳定时测试数据在一个较小的范围内变动,取中间值也能满足规程适用范围内的变形和应变测试精度要求,规定宜取中间值作为测次测值。中间值为处于测试结果区间中部的值,如重复四次测试的结果为1001.020mm,1001.021mm,1001.022mm 和 1001.023mm,可取 1001.021mm 或 1001.022mm 作为该测次测值。

5.0.9 探头温度记录有利于分析数据异常的原因以及为温度修正提供依据。需准确测温时,探头在测试单元内的停留时间在测管有水时不宜少于 1min,测管内无水时不宜少于 5min。

6 资料整理

6.0.3 数据采集仪上显示的读数是测试单元长度的一种表达方式,测试单元变形和应变的获得都必须要有初始读数作为参照,初始读数对成果分析非常重要,务必细致准确。

第一次测试初始读数时,测试单元的绝对长度为:
$$d_1 = l - (\delta_1 - z_{01})K_1$$

第 i 次测试时,测试单元的绝对长度为:
$$d_i = l - (\delta_i - z_{0i})K_i$$

6.0.4 变形和应变都是针对测试单元而言的,绘制应变随测深的变化曲线时也可近似认为测试单元的平均应变与测试单元中点处的应变相同。位移针对测标位置而言,计算各测标位置的绝对位移时,需要已知测试深度范围内至少1个测标位置处的位移(如对单桩竖向抗压静载试验可以是桩顶附近的百分表沉降观测值,对岩体松动区的变形测试可以将测管深入非松动区,假定其位移为零)。